[   ]에게 이 시집을 바칩니다

여름밤의 선선한 바람처럼
당신의 마음을 어루만져 주길

여름밤

차례

작가의 말

청춘

[푸른 청, 봄 춘]

네가 가장 좋아하는 색은 푸른색이고
내가 가장 좋아하는 계절은 봄이니까

우리는 언제나 청춘이겠다
우리는 영원히 청춘이겠다

여름감기

여름은 비를 앓고
나는 너를 앓는다

한줄기 비가 내 마음에 스며들 듯
너의 기억이 내 안에 흐른다

그리움은 빗방울처럼 흩어지고
여름이 깊어질수록 너는 더욱 선명해진다

이 여름이 끝날 때까지
나는 여전히 너를 앓는다

온기

너의 한 손에서 전해지는
따뜻한 온기를 느끼며

저녁 바람이 창가를 부드럽게 스칠 때
우리의 마음은 조용히 하나가 된다

그 손길 속 온기는
나를 감싸 안고

말없이 전해지는 사랑의 속삭임은
세상을 환하게 물들인다

바다

고작 어항으로 너라는 바다를 사랑했어
깊고 넓은 너의 품에 닿지 못한 채
작은 유리 속에 나의 사랑만 갇혀 있었어

너의 파도와 너울을 느끼지 못하고
작은 물방울 속에서만 헤매며
끝없는 그리움으로만 너를 그리워했어

바다의 너는 무한한데
나는 고작 어항 속에서
너라는 바다를 꿈꾸고 있어

편지

푸른 종이 위에 펼쳐진 나의 맘
한 줄 한 줄 너에게로 뻗어간다

너와 나의 여름처럼 반짝이는
나의 사랑을 담아 보낸다

바람이 불어와 너를 향해
이 편지가 나를 대신해 전하길 바란다

언제나 네 곁에서 지금 이 순간
내 마음이 네게 닿기를 기다린다

영원

세상에 영원한 건
단 하나도 없다는데

어째서 너와 나는
영원할 것 같을까

향기

내가 그대를 처음 본 순간
그대에게 따뜻한 향이 난다고 생각했다

몸에서 나는 향이 아닌
성품에서 뿜어져 나오는 향이었다

나는 그대에게
따뜻한 향이 난다고 말하였고

그대는 나에게
봄 향이 난다고 말해주었다

나는 어떤 향을 지녔을까

봄비

봄비가 내리는 어느 날
작은 창가에 앉아서
세상의 모든 색깔을
네 눈앞에 펼쳐 놓고 싶어

소망

있잖아
넌 웃는 게 참 예뻐
그래서 널 볼 때마다 기분이 좋아져
그런 네가 지금보다 더 행복했으면 좋겠어
그게 내 작은 바람이야

계절

당신의 계절이 봄이 되면
반드시 꽃처럼 피어날 거에요

여름이 되면 당신은 따스한 바람처럼
주위를 빛나게 만들 거에요

가을이 되면 당신은 우아한 단풍잎처럼
조용하고 차분한 아름다움을 품게 될 거에요

겨울이 되면 당신은 용기 있는 눈송이처럼
차가운 바람과도 맞서며
자신의 빛을 유지할 거에요

당신의 모든 계절은 특별하고 아름다워요
그리고 모든 계절에 맞는 당신의 빛은
항상 주위를 따스하고 환하게 만들 거에요

윤슬

바다에 물든 풍경
햇빛과 달빛이 일렁이며
은은하게 물든 잔물결

작은 물방울이 손끝에 스며들어
세상을 아름답게 채우고
나는 그 속에서
잠시 멈추어 너를 떠올린다

끝여름

작년 여름의 찬란함으로 가득 찼던 날들은
그 아이의 마지막 여름이었다

찬란함이 점차 멀어지고
그 여름은 고요한 추억 속에 잠긴다
흩어진 햇살 사이로 그 아이의 웃음소리가
바람에 실려 다시 돌아올 수 있을까

그해 여름, 시간은 멈춘 듯했고
우리는 영원을 꿈꾸었다

지금도 여름이 찾아오면
그 찬란함 속에서 나는
그 아이의 마지막 여름을 회상한다
아직도 선명한 그 날의 향기처럼

팔레트

색의 춤이 펼쳐지는 하늘 위에
팔레트는 조용히 잠들어 있다
붓끝이 닿으면 깨어나는 꿈

붉은 심장의 열망
주홍빛 석양의 속삭임
노란 햇볕의 따스함
초록 들판의 평화
푸른 하늘의 자유
보랏빛 밤의 신비
모두 팔레트 위에 피어난다

새로운 세상을 그릴 준비가 되었다

혼합되는 색의 향연 속에서
기쁨과 슬픔이 한데 어우러진다
어느 날에는 희망으로 빛나고
어느 날에는 눈물로 젖어 든다

그러나 팔레트는 언제나 고요히
모든 가능성을 품고 있다
색이 흘러넘치는 그 자리에서
모든 이야기를 담아낸다

백일몽

절망적이고 잔인한 현실에 비해
그 꿈은 코끝이 아찔할 정도로 달콤했기에

현실이 아닌 걸 알면서도
깨어날 수 없었어

파동

그대가 나에게 보내는 미소
그 미소가 그대의 입가에 번질 때

나에게도 행복이 번진다

그대가 맑고 고운 목소리로
반갑게 나를 맞이할 때

나에게도 행복이 번진다

그대는 나의 행복이다

위로

힘든 날이 많을지라도
웃음 짓는 순간을 기다리며
마음이 가벼워지는 그 날이
빨리 찾아오기를 바랍니다
함께 이 시련을 이겨내고
더 나은 날들이 기다리고 있음을 믿습니다

평생

평생의 기억을 겹치면 단 두 사람이 보인다
사랑했던 너와 나

애열

당신을 애열(愛悅) 합니다
당신을 보며 애열(哀咽) 합니다

애열(愛悅)
사랑하고 기뻐함
-
애열(哀咽)
슬퍼 목메어 욺

추억

그리운 기억들
그 기억들이 모여 추억이 된다

돌아갈 수 없는 순간들
그 순간들이 추억이 된다

언젠가 지금 이 순간도 추억일 테니
언제나 행복을 잊지 말아야겠다

오늘의 미소를 내일의 추억으로
지금 이 순간을 소중히 여기며

초원

맨 처음 가슴 속에 품은 소원
푸른 초원 위에 피어난 꿈
햇살 가득한 들판에 새긴 바람
초원은 나의 소망을 속삭이네

순애

푸른 하늘 아래
투명한 바람 속
마주한 너와 나
그 순간이 시가 된다

꽃잎이 흩날리는 길
너의 손을 잡고 걷는 이 시간
모든 게 순수한 사랑으로 물들어
우리의 마음 깊이 새겨진다

눈 부신 햇살이
너의 웃음에 반사되어
하얗게 빛나는 순간들
그 속에 담긴 우리의 순애

시간이 흘러도
이 순간은 영원히
우리의 기억 속에서
순애로 피어나리

애원

늘 빛나는 햇살과 같이
다시 빛나시길 바랍니다

당신에게 행복이라는
따뜻한 감정이 스며들 수 있도록
기도하며 바랍니다

빛이 뒤덮이길 바라요

신호등

가로등이 불을 밝힐 때마다
설렘에 함께 걷고
조심스레 다가가며
멈추고 서로를 살핀다
빛을 따라 우리는 사랑을 함께 걷는다

너의 꽃

우아하게 향을 풍기는
장미꽃

깨끗하고 소담스러운
은방울꽃

오래되었지만 더 아름다운
할미꽃

남들과는 다르게 피어나는
연꽃

너를 닮은 꽃들을 온종일 떠올리다
네가 담은 꽃이 궁금해졌다
너의 꽃은 어떤 모습을 지녔는가

청춘 2

청춘이 무엇인지 모를 때가 청춘입니다
그래서 더 소중한 순간입니다

시간이 흘러 청춘이 추억이 되고
우리는 그때를 그리워합니다

마치 지나간 여름을
겨울에 그리워하듯이

잠시, 겨울

넌 원래 따뜻한 사람이야
겨울이 와서 잠깐 차가워진 거지
차가운 바람 속에서도 네 마음은
여전히 봄을 꿈꾸고 있어

초록에게

초록아, 너는 언제나
여름의 첫인사 같은 존재야
새벽의 이슬을 담은 잎사귀처럼
너의 푸르름은 우리 마음을 씻어내지

햇빛이 너를 쓰다듬을 때
넌 살며시 미소 짓고
바람이 너를 지나칠 때
넌 부드럽게 흔들리지

세상의 소란이 잠잠해질 때
너의 고요함 속에서
우린 평화를 찾고
너의 품 안에서 꿈을 꾸지

네잎클로버

한 잎은 믿음을 말해주고
두 번째 잎은 희망을 품었네
세 번째 잎은 사랑을 속삭이고
네 번째 잎은 행운을 담았네

힘겨운 날도 슬픈 순간도
이 작은 클로버가 말해주네
행운은 멀리 있는 게 아니라고
우리 마음속 깊이 숨겨져 있다고

잎을 하나하나 셀 때마다
희망이 피어나고
사랑이 퍼지고
행운이 곁에 머무르네

네잎클로버의 소박한 기적처럼
너의 하루도 밝게 빛나길
작은 기쁨이 큰 위로가 되어
마음 가득 행복이 피어나길

화양연화

꽃잎이 피어나는
봄날의 화양연화
순간의 찬란함 속에
영원히 담긴 기억

바람에 흔들리는
부드러운 시간
그 속에 피어나는
우리의 아름다운 추억

피고 지는 꽃처럼
스쳐 가는 순간들도
가슴속에 새겨진
화양연화의 빛나는 장면들

염원

어둠 속에서 샛노란 별들이 속삭이네
은은한 빛으로 밤하늘을 수놓고
우리의 마음을 따뜻하게 안아줘
함께한 시간을 잊지 않기를
언제나 네 곁에서 나는 있을 거야
별빛이 우리를 이어주듯 빛나길

존재

내가 삶에 지쳤을 때
그대는 나에게 먼저 다가와
말 한마디 없이
따뜻한 포옹과 미소를 보낸다

그대는 내가 무너졌을 때
쉴 수 있는 그늘이었고

보잘것없는 나를 밝게 비춰주는
햇빛 같은 존재였다

그대는 오늘도 나에게 다가와
말 한마디 없이
따뜻한 포옹과 미소를 보낸다

오늘 내일 영원

당신을 사랑해요
오늘도 내일도 영원히

당신을 꿈꿔요
오늘도 내일도 영원히

당신이 행복하길 바라요
오늘도 내일도 영원히

너를 보며

별처럼 빛나는 너를 보며
햇살처럼 따스하게 웃는 너를 보며
보석처럼 밝은 희망을 품은 너를 보며
달빛처럼 사랑을 서로 나누는 너를 보며

너를 통해 사랑을 배우며
언젠가 나도 너와 같은 사람이 되길 바라며

오늘도 너를 사랑한다

시화한파

봄의 향기는 부드럽게 불어와
꽃들은 희미하게 피어나고 있는데도
갑자기 찾아온 한파는
그 아름다움을 얼어붙게 했다

얼음처럼 꽃잎이 얼어붙고
바람은 찬모랭이를 입히며
봄의 기운이 한순간에 사라져버렸다

시샘하는 추위 속에서
나는 봄의 기다림을 계속할 것이다
한파가 떠나갈 때까지

여름향기

여름이 스며든 골목길
햇살 속에서 미소 짓는다

나뭇잎은 흩날리고
바람은 향기를 실어온다

여름의 향기가 피어나는 곳에서
우리의 이야기가 피어난다

시간은 느리게 흐르고
우리는 함께 여름을 느낀다

천년지애

천년의 시간 속
별은 여전히 빛나고
은하수는 그리움의 물결처럼 흐르네
두 마음은 시간을 초월한 인연으로
끝없이 이어지는 사랑의 서사시

사랑으로

그대의 마음은 봄날의 햇살처럼 따뜻해
춥고 어두운 곳에 온기를 전해 주네
나무 아래 피어난 작은 꽃처럼
그대의 미소는 사람들의 마음에 자리 잡아

그대의 웃음은 별빛처럼 빛나
어두운 밤하늘에 빛을 더하네
슬픔에 잠긴 이들의 마음속에
숨은 밝은 미소를 살며시 일으키네

그대의 아름다움은 외모를 넘어서
마음속 깊은 곳까지 퍼져나가
따뜻한 말 한마디, 사려 깊은 행동 하나
모두를 감싸 안는 부드러운 손길이 되어

그대는 웃음으로 세상을 물들이고
사랑으로 사람들의 마음을 채워
그 누구도 흉내 낼 수 없는
그대만의 특별한 빛으로 가득 차 있네

새벽

새벽빛 속에 깨어난 꿈
고요한 바람이 속삭이네
어제의 흔적을 지우고
오늘의 약속을 새기며

눈부신 아침이 다가올 때
희망의 빛 퍼져가네
작은 발걸음 내디디며
우리의 이야기가 시작되네

기도

당신의 하루가 밝게 빛나고
마음에 평화가 깃들기를
삶의 길이 꽃길로 이어지며
늘 사랑과 행복이 함께하길

당신의 눈물이 보석이 되어
고된 시간도 기쁨으로 물들기를
하늘이 당신을 지켜주기를
당신의 행복을 언제나 빌어요

절망

1. 바라볼 것이 없게 되어 모든 희망을 끊어버림.
2. 간절히 바람.

다음 중 당신이 원하는 절망은?

햇살

어느 날의 햇살은
마음을 따뜻하게 밝혀주는 친구 같았어

창문 너머로 들어오는
노란빛은 나를 안아 주고

가벼운 바람은
삶의 부담을 덜어줬어

작은 물방울은
햇살을 만나 빛나며 춤을 추고

나의 마음도 그 햇살 속에서
행복한 노래를 부르고 있었어

어느 날의 햇살은
삶에 활력을 불어넣어 주었고
나에게 새로운 시작을 꿈꾸게 했어

행복

행복은 멀리 있지 않다
우리 곁에 늘 머무는 것
작은 꽃 한 송이의 미소 속에
따스한 햇볕이 비치는 아침에

그 길은 때론 울퉁불퉁해도
걸어가는 발걸음마다 빛난다
사랑하는 이와 함께하는 시간
그 속에서 우리는 행복을 느낀다

하루의 끝에 지친 몸을 뉘일 때
마음속에 떠오르는 감사의 순간들
소소한 기쁨을 모아 둥글게
우리의 행복은 그렇게 커져간다

지금 이 순간
여기 있는 우리가
행복의 길을 함께 걸어가는 것
그것이 곧 우리가 찾는
진정한 행복 아닐까

향수

향수를 열어
한 줄기 향기가 풍겨올 때
그대가 남긴 기억이
깊이 스며든다

시원한 바람처럼
부드러운 향기는
내 안에 머물러
시간을 초월하여 퍼진다

흩어진 꽃잎처럼
아름다운 기억들이
향기로 새겨져
내 마음속에 영원히 피어난다

너

너는 길거리에 핀
꽃보다 더 아름답고

밤하늘의 별보다
더 반짝이며 빛나고

네잎클로버보다
더 큰 행운이야

꽃

꽃이 이쁘게 활짝 피듯이
너의 얼굴에서도 이쁘게
웃음이 활짝 피었으면 좋겠다

여름밤

한여름밤에 꿈같았던 그 날
그 날 나는 당신을 떠올립니다

여름밤 풀벌레 우는소리에
나에게 기대며 웃어줬던 그때
그 기억을 잊지 못합니다

그 기억을 가지고 다시 태어난다면
매해 여름밤에 당신을 추억하겠습니다

비눗방울

모든 것이 빛나는 여름날
하늘 높이 떠다니는 비눗방울들

아이들의 웃음소리
바람에 실려 반짝이는 꿈

잠시 머물다 사라져도
그 순간은 영원한 추억

비눗방울 속 여름의 향기
우리를 행복하게 하네

계절 한 스푼

흩날리는 꽃잎에
봄 한 스푼

시원하게 귓가에 스치는 바람에
여름 한 스푼

단풍이 물든 길가에
가을 한 스푼

하얗게 내리는 첫눈에
겨울 한 스푼

사계절의 조각들이 모여
우리의 추억을 담네

레몬맛 사랑

당신의 사랑은 마치 레몬 같아
시큼하면서도 달콤해
첫맛은 짜릿하지만
곧이어 입안 가득 퍼지는 달콤한 향기

가끔은 시큼한 눈물이 흘러도
당신의 달콤한 한마디로
금세 미소로 바뀌어
우리 사랑은 한 모금의 레모네이드

당신과 함께라면
어떤 맛도 행복이 되어
우리의 사랑은
영원히 빛날 거야

From. Happiness

이 편지가 당신에게 작은 위로와
행복을 전할 수 있기를 바라며

삶은 때때로 우리에게
예상치 못한 고난과 어려움을 안겨줍니다
그러한 순간들은 마치 폭풍 속에서
길을 잃은 것처럼 느껴질 때가 많지만
폭풍이 지나가고 나면
항상 맑은 하늘이 찾아오듯
우리에게도 밝고 행복한 날들이
반드시 찾아올 겁니다

당신은 정말 특별한 사람입니다
당신의 따뜻한 마음과 배려심

그리고 언제나 밝게 웃어주는 모습은
많은 사람에게 큰 힘이 되어왔습니다
그런 당신에게도 때때로
힘든 날이 있다는 걸 생각하면
마음이 아프지만 동시에
당신에게 그만큼 더 많은 행복이
찾아오기를 간절히 바라게 됩니다

당신은 지금의 어려움을 이겨낼 수 있는
강인함을 지니고 있어
때로는 그 강인함을 잊고
힘들어할 수도 있지만
주변에는 당신을 사랑하고 응원하는
사람들이 있다는 걸 잊지 말았으면 합니다
나 또한 그중 한 사람으로서
언제나 당신을 응원하고 있다는 걸 기억해주세요

행복은 멀리 있는 것이 아니라
우리의 일상 속 작은 순간들 속에 숨어 있습니다
따뜻한 햇살 아래서 읽는 책 한 권
사랑하는 사람들과 함께 보내는 시간
그리고 무심코 본 하늘의 아름다움 속에서
우리는 행복을 찾을 수 있어요
지금 이 순간에도
당신에게 그런 작은 행복들이 가득하기를 바랍니다

부디 당신의 웃음이 다시 밝게 피어나길
그리고 그 웃음이 당신의 하루를
가득 채우길 바랍니다
당신은 행복해질 자격이 충분히 있어요

세상에 하나뿐인 소중한 당신에게
진심으로 행복을 빌며

To. You

행복을 찾아서

삶의 여러 순간 속에서 우리는 때때로
행복을 찾고 때로는 잃어버리기도 합니다
그럼에도 불구하고 우리는
늘 행복을 바라는 마음을 간직하고 살아갑니다
시집 속에 담긴 이야기들이 여러분의 마음에
작은 울림을 주고 일상 속에서
잊고 지냈던 행복의 순간들을
다시 떠올리게 하기를 소망합니다
이 시집을 읽는 모든 분이
행복을 찾아가는 여정에서
조금 더 따뜻한 위로를 받으시길 바랍니다

2024년 여름
김하음

책장을 덮는 순간부터
마침내 당신이 바라던 행복에 닿기를

여름밤

발　행 | 2024년 8월 22일
저　자 | 김하음
펴낸이 | 한건희
펴낸곳 | 주식회사 부크크
출판사등록 | 2014.07.15.(제2014-16호)
주　소 | 서울특별시 금천구 가산디지털1로 119 SK트윈타워 A동 305호
전　화 | 1670-8316
이메일 | info@bookk.co.kr

ISBN | 979-11-419-0160-8

www.bookk.co.kr